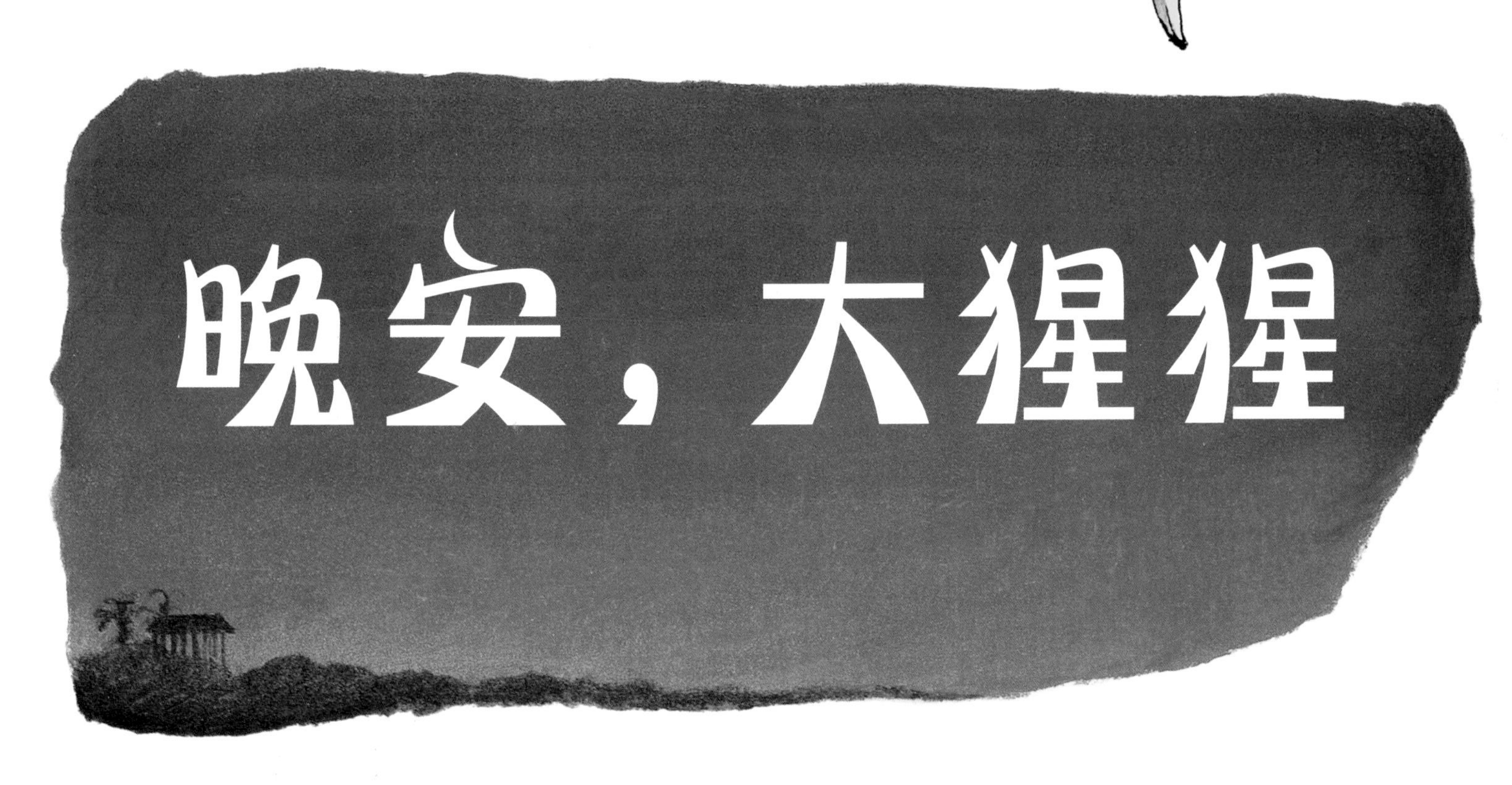

晚安，大猩猩

〔美〕佩吉·拉特曼　文·图　　爱心树　译

南海出版公司

晚安，大猩猩。
管理员

大猩猩

JOE

晚安，大象。

晚安，狮子。
管理员
JOS

liè
晚安，鬣狗。
晚安，长颈鹿。

qiú yú
晚安，犰狳。

管理员家

动物园

晚安，亲爱的。

晚安。

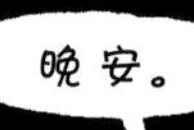
晚安。

晚安。

晚安。

晚安。

晚安。

晚安。

管理员家

动物园

管理员家

动物园
晚安，动物园。

晚安，亲爱的。
晚安。

晚安，大猩猩。
呼呼呼……

献给：约瑟夫·麦奎德夫妇
以及他们所有的猩猩小宝贝们

晚安，大猩猩
〔美〕佩吉·拉特曼 文·图
爱心树 译

出　　版　南海出版公司　(0898)66568511
　　　　　海口市海秀中路51号星华大厦五楼　邮编 570206
发　　行　新经典文化有限公司
　　　　　电话(010)68423599　邮箱 editor@readinglife.com
经　　销　新华书店

责任编辑　印姗姗
特邀编辑　白佳丽　任　蕾
内文制作　李艳芝

印　　刷　北京国彩印刷有限公司
开　　本　889毫米×1194毫米　1/24
印　　张　$1\frac{2}{3}$
字　　数　3千
版　　次　2010年6月第1版
印　　次　2011年11月第5次印刷
书　　号　ISBN 978-7-5442-4676-7
定　　价　25.00元

图书在版编目(CIP)数据

晚安，大猩猩/〔美〕拉特曼著；爱心树译．
海口：南海出版公司，2010.6
ISBN 978-7-5442-4676-7

Ⅰ.晚…　Ⅱ.①拉…②爱…　Ⅲ.图画故事－美国－现代　Ⅳ.I712.85

中国版本图书馆CIP数据核字（2010）第008968号

著作权合同登记号　图字：30-2008-096